Isabel Brancq

Petites crèmes

Photographies de Gwenael Quantin

• MARABOUT •

sommaire

astuces

Crème chantilly

La réussite dépend entièrement de la température des ustensiles et de la crème fraîche liquide qui doit être bien froide.

Mettez le saladier au réfrigérateur 15 minutes avant de réaliser la crème chantilly. Fouettez la crème froide au batteur électrique. En quelques minutes, elle monte et devient mousseuse. Vous arrivez même à dessiner avec le batteur des vagues dessus. Votre crème fouettée est prête. Réservez-la au réfrigérateur jusqu'au moment de servir. Vous pouvez la sucrer avec du sucre glace ou avec du miel lorsqu'elle commence à monter.

Crème anglaise

120 g de sucre semoule

6 jaunes d'œufs

50 cl de lait entier

1 gousse de vanille

Dans un saladier, mélangez énergiquement le sucre et les jaunes d'œufs à l'aide d'un fouet pendant 2 minutes, le mélange va blanchir. Pendant ce temps, faites chauffer le lait et la gousse de vanille fendue en deux. Lorsque le lait est chaud, retirez la gousse. Versez progressivement le lait chaud sur les œufs battus sans arrêter de mélanger au fouet. Faites chauffer ce mélange dans la casserole tout doucement en remuant à l'aide d'une spatule en bois. Aux premiers frémissements, stoppez la cuisson. La crème est prête quand un doigt passé sur la spatule y laisse une trace bien nette. Filtrez la crème à l'aide d'une passoire très fine puis laissez-la reposer 12 heures au frais.

Caramels

Si vous souhaitez réaliser un caramel liquide pour votre crème renversée, faites chauffer tout doucement les morceaux de sucre dans une casserole, sans eau. Au bout de 3 minutes, les morceaux se cassent. Remuez à l'aide d'une spatule en bois et laissez fondre. Augmentez un peu le feu : le caramel commence à prendre, il est très pâle puis se colore. Baissez le feu et remuez sans arrêter. Ôtez la casserole du feu et versez-y un peu d'eau. Utilisez une cuillère avec un long manche pour ne pas vous brûler et remuez jusqu'à ce que le caramel soit liquide. Versez-le au fond des ramequins.

Si vous voulez réaliser un caramel pour un croustillant d'amande et de pistache, au lieu de verser de l'eau dans la casserole, ajoutez les amandes et les pistaches broyées puis disposez le tout sur du papier sulfurisé. Attention, ce caramel durcit très vite. Trempez immédiatement votre casserole dans l'eau chaude.

Meringues

À chaque fois que vous réalisez des crèmes, il vous reste des blancs d'œufs. Surtout, ne les jetez pas. Je vous conseille de réaliser des meringues pour les savourer en accompagnement de vos petits pots de crèmes.

Battez 6 blancs d'œufs en neige puis ajoutez 3 cuillerées à soupe de sucre glace. Préchauffez le four à 100 °C (thermostat 3/4). Posez une feuille de papier sulfurisé sur la plaque de cuisson. À l'aide d'une cuillère, disposez dessus de petites noix de blancs en neige et enfournez pour 2 heures en laissant la porte du four entrouverte.

Vous pouvez aussi congeler les blancs d'œufs pour les utiliser ultérieurement.

Arômes naturels

Vous pouvez changer de l'éternelle gousse de vanille et trouver dans votre jardin ou sur votre balcon des plantes comme le thym, le thym citronné, le romarin, la lavande… Cueillez quelques brins et faites-les infuser dans le lait ou dans la crème fraîche lors de la réalisation de vos crèmes.

À essayer : crème aux œufs au thym et aux fraises des bois, crème brûlée au miel et au romarin, crème renversée aux fraises et à la lavande…

Caraméliser

Investissez dans la torche à crème brûlée ou faites-vous-en offrir une. C'est vraiment l'ustensile indispensable pour faire des crèmes brûlées comme au restaurant. Elle vous permettra de maîtriser parfaitement la caramélisation.

Dans tous les cas de figure, avec la torche ou au four, lorsque vous caramélisez les crèmes brûlées, sortez-les du réfrigérateur au dernier moment et maintenez-les dans un plat d'eau froide lors de la caramélisation. Remettez-les 10 minutes minimum au réfrigérateur après l'opération.

Petits pots au chocolat

4 jaunes d'œufs

1 œuf

50 cl de lait entier

80 g de sucre en poudre

150 g de chocolat noir

beurre pour les ramequins

Préchauffez le four à 150 °C (thermostat 5).

Cassez le chocolat en morceaux et faites-le fondre dans une casserole avec 1 cuillerée à soupe d'eau. Remuez avec une spatule en bois, versez le lait et mélangez bien. Faites chauffer 3 minutes à feu doux.

Mélangez les jaunes d'œufs et l'œuf dans un saladier. Ajoutez le sucre puis, à l'aide d'un fouet, remuez pendant 3 minutes. Versez le lait chocolaté et remuez de nouveau.

Beurrez 6 petits ramequins et répartissez la crème au chocolat. Disposez les ramequins dans un plat allant au four, versez de l'eau dans le plat, à mi-hauteur, et faites cuire ainsi au bain-marie pendant 30 minutes.

Laissez les crèmes refroidir puis placez-les 1 heure au réfrigérateur.

Servez frais.

Petits pots au caramel

Pour 6 personnes

4 jaunes d'œufs

1 œuf

50 cl de lait entier

80 g de sucre en poudre

50 g de sucre en morceaux

Préchauffez le four à 150 °C (thermostat 5).

Pour préparer le caramel, suivez les explications de la page 5.

Battez les œufs dans un saladier. Ajoutez le sucre en poudre puis, à l'aide d'un fouet, remuez énergiquement pendant 3 minutes.

Faites chauffer le lait puis versez-le sur les œufs battus, ajoutez le caramel tiédi et mélangez.

Beurrez 6 petits ramequins et répartissez la préparation. Disposez les ramequins dans un plat allant au four, versez de l'eau dans le plat, à mi-hauteur, et faites cuire ainsi au bain-marie pendant 30 minutes.

Laissez les crèmes refroidir puis placez-les 1 heure au réfrigérateur.

Servez frais.

CONSEIL I Lorsque vous avez préparé le caramel et qu'il est encore chaud, ajoutez 1 cuillerée à café de beurre salé et remuez jusqu'à ce qu'il fonde.

Vous pouvez accompagner cette crème de pommes poêlées.

Petits pots au café

Pour 6 personnes

4 jaunes d'œufs

1 œuf

45 cl de lait

80 g de sucre en poudre

5 cl de café fort

Préchauffez le four à 150 °C (thermostat 5).

Battez les œufs dans un saladier. Ajoutez le sucre en poudre et, à l'aide d'un fouet, remuez énergiquement.

Dans une casserole, faites chauffer le lait et le café à feu doux, versez le tout sur les œufs battus et mélangez.

Beurrez 6 petits ramequins et répartissez la préparation. Disposez-les dans un plat allant au four, versez de l'eau dans le plat, à mi-hauteur, et faites cuire ainsi au bain-marie pendant 30 minutes.

Laissez les crèmes refroidir puis placez-les 1 heure au réfrigérateur.

Servez frais.

CONSEIL | Vous pouvez parfumer la crème café de vanille ou de cannelle en les ajoutant dans le lait lorsque vous le faites chauffer.

Petits pots vanille

Pour 6 personnes

4 jaunes d'œufs

1 œuf

50 cl de lait entier

1 gousse de vanille

80 g de sucre en poudre

Préchauffez le four à 150 °C (thermostat 5).

Battez les œufs dans un saladier. Ajoutez le sucre et, à l'aide d'un fouet, remuez vigoureusement pendant 3 minutes.

Faites chauffer tout doucement le lait avec la gousse de vanille fendue en deux dans une casserole. Retirez la gousse et versez le lait encore chaud sur les œufs battus. Mélangez bien.

Beurrez 6 petits ramequins et répartissez la préparation. Disposez-les dans un plat allant au four, versez de l'eau dans le plat, à mi-hauteur, et faites cuire ainsi au bain-marie pendant 30 minutes.

Laissez les crèmes refroidir puis placez-les 1 heure au réfrigérateur.

Servez frais.

CONSEIL | Avant la cuisson, disposez un morceau de gousse de vanille dans chaque pot de crème. Elle continuera de parfumer le dessert pendant la cuisson. Vous pouvez aussi remplacer la gousse de vanille par un sachet de sucre vanillé.

Petites crèmes coco

Pour 6 personnes

4 jaunes d'œufs

1 œuf

50 cl de lait entier

3 c. à s. de noix de coco râpée

80 g de sucre en poudre

Préchauffez le four à 150 °C (thermostat 5).

Battez les œufs dans un saladier. Ajoutez le sucre et, à l'aide d'un fouet, remuez vigoureusement pendant 3 minutes.

Faites chauffer le lait et la moitié de la noix de coco râpée, versez le tout sur les œufs battus et mélangez.

Beurrez 6 petits ramequins, répartissez-y la préparation et saupoudrez-la de la noix de coco restante. Disposez les ramequins dans un plat allant au four, versez de l'eau dans le plat, à mi-hauteur, et faites cuire ainsi au bain-marie pendant 30 minutes.

Laissez les crèmes refroidir puis placez-les 1 heure au réfrigérateur.

Servez frais.

CONSEIL I Si, comme moi, vous êtes fan de noix de coco, proposez ce dessert avec un gâteau fondant au chocolat ou des cookies au chocolat qui l'accompagneront à merveille.

Crème pistache

Pour 6 personnes

4 jaunes d'œufs

1 œuf

50 cl de lait

60 g de sucre en poudre

30 g de pistaches

Préchauffez le four à 150 °C (thermostat 5).

Mixez les pistaches.

Battez les œufs dans un saladier. Ajoutez le sucre et, à l'aide d'un fouet, remuez vigoureusement.

Faites chauffer le lait avec les pistaches en poudre, versez-le encore chaud sur les œufs battus et mélangez intimement.

Beurrez 6 petits ramequins et répartissez la crème. Disposez-les dans un plat allant au four, versez de l'eau dans le plat, à mi-hauteur, et faites cuire ainsi au bain-marie pendant 30 minutes.

Laissez les crèmes refroidir puis placez-les 1 heure au réfrigérateur.

Servez frais. Décorez-les de pistaches fraîches au moment de servir.

Crème d'amande

Pour 6 personnes

4 jaunes d'œufs

1 œuf

50 cl de lait entier

40 g de sucre en poudre

40 g d'amandes en poudre

2 c. à c. d'amandes émondées

Préchauffez le four à 150 °C (thermostat 5).

Battez les œufs dans un saladier. Ajoutez le sucre et, à l'aide d'un fouet, remuez vigoureusement pendant 3 minutes.

Faites chauffer le lait et la poudre d'amande, versez-le encore chaud sur les œufs battus et mélangez intimement.

Beurrez 6 petits ramequins et répartissez-y la crème. Décorez d'amandes émondées puis disposez-les dans un plat allant au four. Versez de l'eau dans le plat, à mi-hauteur, et faites cuire ainsi au bain-marie pendant 30 minutes.

Laissez les crèmes refroidir puis placez-les 1 heure au réfrigérateur.

Servez frais.

CONSEIL I Vous pouvez agrémenter cette recette de 1 cuillerée à café d'ârome de fleur d'oranger.

Crème pralinée

Pour 6 personnes

4 jaunes d'œufs

1 œuf

50 cl de lait entier

60 g de sucre en poudre

50 g de pralin en poudre

Préchauffez le four à 150 °C (thermostat 5).

Battez les œufs dans un saladier. Ajoutez le sucre et, à l'aide d'un fouet, remuez pendant 3 minutes.

Faites chauffer le lait et le pralin, versez le mélange encore chaud sur les œufs battus et remuez vigoureusement.

Beurrez 6 petits ramequins et répartissez-y la préparation. Disposez-les dans un plat allant au four, versez de l'eau dans le plat, à mi-hauteur, et faites cuire ainsi au bain-marie pendant 30 minutes.

Laissez les crèmes refroidir puis placez-les 1 heure au réfrigérateur.

Servez frais.

NOTE I C'est une excellente recette : le pralin caramélise légèrement à la surface des crèmes. Un vrai régal !

Crème choco-poires

Pour 6 personnes

4 jaunes d'œufs

1 œuf

50 cl de lait entier

80 g de sucre en poudre

150 g de chocolat noir

3 poires entières

Préchauffez le four à 150 °C (thermostat 5).

Épluchez les poires et coupez-les en morceaux.

Cassez le chocolat en morceaux et faites-le fondre dans une casserole avec 1 cuillerée à soupe d'eau. Remuez avec une spatule en bois, ajoutez le lait et mélangez bien. Faites chauffer 3 minutes à feu doux.

Mélangez les jaunes d'œufs et l'œuf dans un saladier. Ajoutez le sucre et, à l'aide d'un fouet, remuez pendant 3 minutes. Versez le lait chocolaté dessus, remuez de nouveau puis ajoutez les morceaux de poire.

Beurrez 6 petits ramequins et répartissez la crème au chocolat. Disposez-les dans un plat allant au four, versez de l'eau dans le plat, à mi-hauteur, et faites cuire ainsi au bain-marie pendant 30 minutes.

Laissez les crèmes refroidir puis placez-les 1 heure au réfrigérateur.

Servez frais.

CONSEIL I Si vos poires ne sont pas assez mûres, faites-les revenir à la poêle avec une noisette de beurre et un peu de sucre.

Vous pouvez aussi utiliser des poires au sirop si ce n'est pas la saison. Il suffit de bien les égoutter avant de les ajouter au lait chocolaté.

Petite crème à la guimauve

Pour 6 personnes

4 jaunes d'œufs

1 œuf

50 cl de lait entier

50 g de sucre en poudre

1 c. à s. de grenadine

18 marshmallows

Préchauffez le four à 150 °C (thermostat 5).

Battez les œufs dans un saladier. Ajoutez le sucre et, à l'aide d'un fouet, remuez vigoureusement.

Faites chauffer le lait et versez-le encore chaud sur les œufs battus. Mélangez puis ajoutez la grenadine.

Beurrez 6 petits ramequins et répartissez-y la préparation. Disposez-les dans un plat allant au four, versez de l'eau dans le plat, à mi-hauteur, et faites cuire ainsi au bain-marie pendant 30 minutes.

3 minutes avant la fin de la cuisson, répartissez les marshmallows dans les ramequins.

Laissez les crèmes refroidir puis placez-les 1 heure au réfrigérateur.

Servez frais.

Crème aux œufs à la rhubarbe

Pour 6 personnes

4 jaunes d'œufs

1 œuf

50 cl de lait entier

1 gousse de vanille

80 g + 2 c. à s. de sucre
en poudre

1 noisette de beurre

3 branches de rhubarbe

Préchauffez le four à 150 °C (thermostat 5).

Épluchez la rhubarbe et coupez-la en petits dés. Faites-les revenir doucement dans une poêle avec la noisette de beurre. Saupoudrez de 2 cuillerées de sucre. Lorsque les morceaux sont cuits, éteignez le feu.

Battez les œufs dans un saladier. Ajoutez le sucre et, à l'aide d'un fouet, remuez vigoureusement pendant 3 minutes.

Dans une casserole, faites chauffer le lait et la gousse de vanille fendue en deux. Laissez infuser, versez le lait encore chaud sur les œufs battus et mélangez. Ajoutez la rhubarbe cuite.

Beurrez 6 petits ramequins et répartissez-y la préparation. Disposez-les dans un plat allant au four, versez de l'eau dans le plat, à mi-hauteur, et faites cuire ainsi au bain-marie pendant 30 minutes.

Laissez les crèmes refroidir puis placez-les 1 heure au réfrigérateur.

Servez frais.

CONSEIL | Vous pouvez remplacer la rhubarbe par un fruit de saison de votre choix ou ajouter quelques fraises.

Crème cannelle-pomme

Pour 6 personnes

4 jaunes d'œufs

1 œuf

50 cl de lait entier

1 c. à c. de cannelle
en poudre

80 g de sucre en poudre

1 noisette de beurre

1 petite pomme

1 poignée de raisins secs

Préchauffez le four à 150 °C (thermostat 5).

Épluchez la pomme et coupez-la en petits dés. Faites-les revenir doucement dans une poêle avec la noisette de beurre et les raisins secs. Lorsque les morceaux de pomme sont cuits, éteignez le feu.

Battez les œufs dans un saladier. Ajoutez le sucre et, à l'aide d'un fouet, mélangez vigoureusement pendant 3 minutes.

Dans une casserole, faites chauffer le lait et la cannelle. Versez le lait encore chaud sur les œufs battus et mélangez. Ajoutez les fruits cuits.

Beurrez 6 petits ramequins et répartissez-y la préparation. Disposez-les dans un plat allant au four, versez de l'eau dans le plat, à mi-hauteur, et faites cuire ainsi au bain-marie pendant 30 minutes.

Laissez les crèmes refroidir puis placez-les 1 heure au réfrigérateur.

Servez frais.

CONSEIL | Vous pouvez remplacer la cannelle en poudre par un bâton de cannelle que vous laisserez infuser 5 minutes dans le lait chaud. Émiettez un petit gâteau sec, un pain au lait ou une brioche sur les crèmes avant de servir.

Crème renversée

Pour 4 personnes

3 œufs entiers

50 cl de lait

80 g de sucre en poudre

15 morceaux de sucre

beurre salé
pour les ramequins

Préchauffez le four à 120 °C (thermostat 4).

Beurrez un plat ou des ramequins individuels.

Préparez le caramel en faisant chauffer les morceaux de sucre tout doucement dans une casserole. Remuez régulièrement à l'aide d'une spatule en bois. Dès que le sucre à une belle couleur blonde, éteignez et répartissez-le rapidement dans le plat ou les ramequins.

Battez les œufs dans un saladier. Faites chauffer le lait et le sucre, versez-le progressivement sur les œufs battus et remuez vigoureusement. Versez ce mélange sur le caramel.

Disposez les ramequins ou le plat dans un plat allant au four, versez de l'eau, à mi-hauteur, et faites cuire ainsi au bain-marie pendant 50 minutes.

Laissez les crèmes refroidir puis placez-les 1 heure au réfrigérateur.

Au moment de servir, passez une lame de couteau autour des bords de votre plat avant de démouler. Retournez le dessert sur un plat ou sur des assiettes individuelles.

Servez frais.

CONSEIL I Vous pouvez parfumer la crème renversée en faisant cuire dans le lait une gousse de vanille fendue en deux ou des zestes d'agrumes.

Crème renversée aux fraises

Pour 4 personnes

3 œufs entiers

50 cl de lait

80 g de sucre en poudre

16 belles fraises

15 morceaux de sucre

beurre pour les ramequins

Préchauffez le four à 120 °C (thermostat 4).

Beurrez un plat ou des ramequins individuels.

Lavez les fraises, équeutez-les et coupez-les en morceaux.

Préparez le caramel en faisant chauffer les morceaux de sucre tout doucement dans une casserole. Remuez régulièrement à l'aide d'une spatule en bois. Dès que le sucre a une belle couleur blonde, éteignez et répartissez-le rapidement dans le plat ou les ramequins.

Battez les œufs dans un saladier. Faites chauffer le lait et le sucre, versez-le progressivement sur les œufs battus et remuez vigoureusement. Ajoutez les morceaux de fraises. Versez ce mélange sur le caramel.

Disposez le plat ou les ramequins dans un plat allant au four, versez-y de l'eau, à mi-hauteur, et faites cuire ainsi au bain-marie pendant 50 minutes.

Laissez les crèmes refroidir puis placez-les 1 heure au réfrigérateur.

Au moment de servir, passez une lame de couteau autour des bords du plat avant de démouler. Retournez le dessert sur un plat ou des assiettes individuelles.

Servez frais.

CONSEIL I Vous pouvez remplacer les fraises par tout autre fruit : pêches, abricots, framboises, cerises, bananes...

Crème brûlée

Pour 6 personnes

8 jaunes d'œufs

60 cl de crème fraîche liquide

80 g de sucre semoule

4 c. à s. de sucre en poudre pour la caramélisation

Préchauffez le four à 100 °C (thermostat 3/4).

Mélangez énergiquement les jaunes d'œufs et le sucre dans un saladier.

Faites chauffer la crème fraîche liquide dans une casserole, à feu doux. Aux premiers frémissements, versez-la sur les œufs battus et mélangez.

Répartissez le tout dans 6 petits plats à crème brûlée puis disposez-les dans un plat allant au four. Versez de l'eau dans le plat, à mi-hauteur, et faites cuire ainsi au bain-marie pendant 1 heure 15.

Laissez les crèmes refroidir puis placez-les 2 heures au réfrigérateur.

Saupoudrez-les de sucre puis faites-les caraméliser, soit à l'aide d'une torche à crème brûlée, soit 3 minutes au four en mode gril.

Dans les deux cas de figure, vous aurez au préalable disposé les crèmes dans un plat rempli d'eau froide pour éviter qu'elles ne redeviennent liquides. Replacez-les 10 minutes au frais.

CONSEIL | Vous pouvez parfumer la crème brûlée en laissant infuser une gousse de vanille ou un brin de thym citronné dans la crème fraîche pendant la cuisson.

Crème brûlée au pain d'épices

Pour 6 personnes

8 jaunes d'œufs

60 cl de crème fraîche liquide

80 g de sucre semoule

2 tranches de pain d'épices

4 c. à s. de sucre en poudre pour la caramélisation

Préchauffez le four à 100 °C (thermostat 3/4).

Mélangez énergiquement les jaunes d'œufs et le sucre dans un saladier.

Pendant ce temps, faites chauffer la crème fraîche liquide dans une casserole, à feu doux. Ajoutez 1 tranche de pain d'épices émiettée. Aux premiers frémissements, versez le tout sur les œufs battus et mélangez.

Répartissez cette préparation dans 6 petits plats à crème brûlée. Disposez-les dans un plat allant au four, versez de l'eau, à mi-hauteur, et faites cuire ainsi au bain-marie pendant 1 heure 15.

Laissez les crèmes refroidir puis placez-les 2 heures au réfrigérateur.

Saupoudrez les crèmes de sucre et de la deuxième tranche de pain d'épices émiettée puis faites-les caraméliser, soit à l'aide d'une torche à crème brûlée, soit 3 minutes au four en mode gril.

Dans les deux cas de figure, vous aurez au préalable disposé les crèmes dans un plat rempli d'eau froide pour éviter qu'elles ne redeviennent liquides. Remettez-les 10 minutes au frais.

Crème brûlée croustillant au chocolat

Pour 6 personnes

8 jaunes d'œufs

60 cl de crème fraîche liquide

80 g de sucre semoule

1 gousse de vanille

50 g de chocolat

50 g d'amandes

Préchauffez le four à 100 °C (thermostat 3/4).

Mélangez énergiquement les jaunes d'œufs et le sucre dans un saladier.

Faites chauffer la crème fraîche liquide et la gousse de vanille fendue en deux dans une casserole, à feu doux.
Laissez infuser 5 minutes, ôtez la gousse, versez la crème sur les œufs battus et mélangez.

Répartissez le tout dans 6 petits plats à crème brûlée. Disposez-les dans un plat allant au four, versez de l'eau, à mi-hauteur, et faites cuire ainsi au bain-marie pendant 1 heure 15.

Laissez les crèmes refroidir puis placez-les 2 heures au réfrigérateur.

Pendant ce temps, cassez le chocolat en morceaux et faites-le fondre tout doucement dans une casserole avec 2 cuillerées à café d'eau. Disposez les amandes dans un torchon et cassez-les à l'aide d'un rouleau à pâtisserie ou d'une bouteille. Mélangez-les au chocolat. Disposez cette pâte sur du papier sulfurisé ou sur une plaque antiadhésive et placez au réfrigérateur.

Au moment de servir, disposez un peu de pâte amande-chocolat sur les crèmes à l'aide d'une spatule. Le croustillant au chocolat remplace avantageusement la caramélisation des crèmes.

Crème brûlée au café

Pour 6 personnes

8 jaunes d'œufs

60 cl de crème fraîche liquide

80 g de sucre semoule

2 c. à c. de café moulu

4 c. à s. de sucre en poudre pour la caramélisation

Préchauffez le four à 100 °C (thermostat 3/4).

Mélangez énergiquement les jaunes d'œufs et le sucre dans un saladier.

Pendant ce temps, faites chauffer la crème fraîche liquide et le café dans une casserole, à feu doux. Aux premiers frémissements, versez-la sur les œufs battus puis mélangez.

Filtrez la préparation pour enlever les grains de café puis répartissez-la dans 6 petits plats à crème brûlée.

Disposez-les dans un plat allant au four, versez de l'eau, à mi-hauteur, et faites cuire ainsi au bain-marie pendant 1 heure 15.

Laissez les crèmes refroidir puis placez-les 2 heures au réfrigérateur.

Saupoudrez les crèmes de sucre puis faites-les caraméliser, soit à l'aide d'une torche à crème brûlée, soit 3 minutes au four en mode gril.

Dans les deux cas de figure, vous aurez au préalable disposé les crèmes dans un plat rempli d'eau froide pour éviter qu'elles ne redeviennent liquides.

Remettez-les 10 minutes au frais avant de les déguster.

CONSEIL I Vous pouvez parfumer la crème brûlée au café en laissant infuser une gousse de vanille ou un bâton de cannelle dans la crème fraîche liquide lorsqu'elle chauffe.

Crème catalane

Pour 6 personnes

8 jaunes d'œufs

60 cl de crème fraîche liquide

80 g de sucre semoule

1 citron non traité

1 bâton de cannelle

4 c. à s. de sucre en poudre pour la caramélisation

Préchauffez le four à 100 °C (thermostat 3/4).

Prélevez les zestes de citron. Mélangez énergiquement les jaunes d'œufs et le sucre dans un saladier.

Faites chauffer la crème fraîche liquide, le zeste de citron et le bâton de cannelle dans une casserole, à feu doux. Laissez infuser 5 minutes, ôtez le bâton de cannelle, versez dès les premiers frémissements sur les œufs battus puis mélangez.

Répartissez le tout dans 6 petits plats à crème brûlée. Disposez-les dans un plat allant au four, versez de l'eau, à mi-hauteur, et faites cuire ainsi au bain-marie pendant 1 heure 15.

Laissez les crèmes refroidir puis placez-les 2 heures au réfrigérateur.

Saupoudrez les crèmes de sucre puis faites-les caraméliser, soit à l'aide d'une torche à crème brûlée, soit 3 minutes au four en mode gril.

Dans les deux cas de figure, vous aurez au préalable disposé les crèmes dans un plat rempli d'eau froide pour éviter qu'elles ne redeviennent liquides.

Replacez-les 10 minutes au frais avant de déguster.

Crème brûlée au miel

Pour 6 personnes

8 jaunes d'œufs

60 cl de crème fraîche liquide

60 g de sucre semoule

1 c. à s. de miel liquide

10 morceaux de sucre

30 g de pistaches

30 g d'amandes

Préchauffez le four à 100 °C (thermostat 3/4).

Mélangez énergiquement les jaunes d'œufs et le sucre dans un saladier. Ajoutez le miel et remuez à nouveau.

Faites chauffer la crème fraîche liquide dans une casserole, à feu doux. Versez-la sur les œufs battus et mélangez.

Répartissez la préparation dans 6 petits plats à crème brûlée. Disposez-les dans un plat allant au four, versez de l'eau, à mi-hauteur, et faites cuire ainsi au bain-marie pendant 1 heure 15.

Laissez les crèmes refroidir puis placez-les 2 heures au réfrigérateur.

Pendant ce temps, disposez les amandes et les pistaches dans un torchon puis cassez-les à l'aide d'un rouleau à pâtisserie ou d'une bouteille.

Pour préparer le caramel, faites fondre les morceaux de sucre dans une casserole, sans eau. Lorsque le caramel prend une belle couleur blonde, ajoutez les débris de pistaches et d'amandes. Mélangez-les au caramel. Disposez ce croustillant sur du papier sulfurisé ou sur une plaque antiadhésive et placez-le au réfrigérateur.

Au moment de servir, cassez des morceaux de croustillant avec les doigts et déposez-les sur les crèmes.

Crème brûlée à la pistache

Pour 6 personnes

8 jaunes d'œufs

60 cl de crème fraîche liquide

80 g de sucre semoule

2 c. à s. de pistaches en poudre

4 c. à s. de sucre en poudre pour la caramélisation

Préchauffez le four à 100 °C (thermostat 3/4).

Mélangez énergiquement les jaunes d'œufs et le sucre dans un saladier.

Faites chauffer la crème fraîche liquide et la poudre de pistache dans une casserole, à feu doux. Aux premiers frémissements, versez-la sur les œufs battus et mélangez.

Répartissez la préparation dans 6 petits plats à crème brûlée. Disposez-les dans un plat allant au four, versez de l'eau, à mi-hauteur, et faites cuire ainsi au bain-marie pendant 1 heure 15.

Laissez les crèmes refroidir puis placez-les 2 heures au réfrigérateur.

Saupoudrez les crèmes de sucre puis faites-les caraméliser, soit à l'aide d'une torche à crème brûlée, soit 3 minutes au four en mode gril.

Dans les deux cas de figure, vous aurez au préalable disposé les crèmes dans un plat rempli d'eau froide pour éviter qu'elles ne redeviennent liquides. Replacez-les 10 minutes au frais.

Décorez de pistaches entières au moment de servir.

Crème brûlée aux fruits rouges

Pour 6 personnes

8 jaunes d'œufs

60 cl de crème fraîche liquide

80 g de sucre semoule

1 dizaine de framboises

4 grappes de groseilles

4 c. à s. de sucre en poudre pour la caramélisation

Préchauffez le four à 100 °C (thermostat 3/4).

Battez énergiquement les jaunes d'œufs et le sucre dans un saladier.

Pendant ce temps, faites chauffer la crème fraîche liquide dans une casserole, à feu doux. Aux premiers frémissements, versez-la sur les œufs battus et mélangez.

Répartissez le tout dans 6 petits plats à crème brûlée. Disposez-les dans un plat allant au four, versez de l'eau, à mi-hauteur, et faites cuire ainsi au bain-marie pendant 1 heure 15.

Rincez les fruits. Vingt minutes avant la fin de la cuisson, répartissez-les sur les crèmes.

Laissez les crèmes refroidir puis placez-les 2 heures au réfrigérateur.

Saupoudrez les crèmes de sucre puis faites-les caraméliser, soit à l'aide d'une torche à crème brûlée, soit 3 minutes au four en mode gril.

Dans les deux cas de figure, vous aurez au préalable disposé les crèmes dans un plat rempli d'eau froide pour éviter qu'elles ne redeviennent liquides. Replacez-les 10 minutes au frais.

CONSEIL I Vous pouvez remplacer les framboises et les groseilles par des fruits de saison : cerises, mûres, cassis, fraises des bois, fraises... Parfumez la crème liquide de thym citronné, de lavande ou de romarin.

Crème dessert au chocolat

Pour 6 personnes

25 cl de lait

25 cl de crème fraîche liquide

3 jaunes d'œufs

60 g de sucre semoule

150 g de chocolat noir

1 feuille de gélatine

Dans une casserole, portez le lait et la crème à ébullition.

Pendant ce temps, mélangez énergiquement dans un saladier les jaunes d'œufs et le sucre. Ajoutez le liquide chaud, remuez puis versez le tout dans la casserole. Faites chauffer à feu doux sans cesser de remuer. La crème va épaissir progressivement. Éteignez le feu.

Faites tremper la feuille de gélatine dans un bol d'eau froide. Râpez le chocolat dans un saladier. Versez la moitié de la crème encore chaude sur le chocolat et remuez pour bien le faire fondre. Essorez la feuille de gélatine et ajoutez-la au mélange. Versez le reste de crème, mélangez le tout puis répartissez dans 6 petits ramequins.

Laissez les crèmes refroidir puis placez-les 2 heures au réfrigérateur avant de déguster.

CONSEIL | Vous pouvez accompagner cette recette de cookies aux noisettes ou de sablés bretons.

Crème dessert au caramel

Pour 6 personnes

25 cl de lait

25 cl de crème fraîche liquide

3 jaunes d'œufs

60 g de sucre semoule

15 morceaux de sucre

2 feuilles de gélatine

Dans une casserole, portez le lait et la crème à ébullition.

Pendant ce temps, battez énergiquement dans un saladier les jaunes d'œufs et le sucre. Ajoutez le liquide chaud, remuez puis versez le tout dans la casserole. Faites chauffer à feu doux sans cesser de remuer. La crème va épaissir progressivement. Éteignez le feu.

Faites tremper les feuilles de gélatine dans un bol d'eau froide. Préparez le caramel en faisant fondre les morceaux de sucre dans une casserole. Hors du feu, ajoutez 2 cuillerées à soupe d'eau et remuez rapidement pour bien mélanger le caramel à l'eau. Attention aux projections de caramel chaud : utilisez une cuillère en bois avec un long manche.

Versez le caramel dans un saladier avec la moitié de la crème encore chaude. Remuez. Essorez les feuilles de gélatine et ajoutez-les au mélange au caramel. Versez le reste de crème, mélangez le tout puis répartissez dans 6 petits ramequins.

Laissez refroidir et placez 2 heures au réfrigérateur avant de déguster.

CONSEIL I Vous pouvez améliorer cette recette en ajoutant du chocolat noir fondu au caramel avant de mélanger le tout à la crème encore chaude.

Vous pouvez gagner un quart d'heure en utilisant du caramel liquide prêt à l'emploi.

Crème au citron

Pour 4 personnes

4 jaunes d'œufs

100 g de sucre semoule

20 g de Maïzena

3 citrons non traités

25 cl d'eau

1 noisette de beurre

Dans un saladier, battez énergiquement les jaunes d'œufs et le sucre. Ajoutez la Maïzena, le zeste, le jus des citrons et l'eau. Mélangez.

Versez le tout dans une casserole puis faites chauffer tout doucement jusqu'à ce que le mélange épaississe et devienne onctueux.

Éteignez le feu, ajoutez la noisette de beurre et remuez. Répartissez la crème dans des ramequins. Laissez-les refroidir puis placez-les 2 heures au réfrigérateur avant de déguster.

CONSEIL I Vous pouvez servir la crème au citron accompagnée de sablés bretons ou de meringues que vous aurez réalisées avec les blancs d'œufs.

Chantilly coco-fraises

20 cl de lait de coco non sucré

25 cl de crème fraîche liquide

1 gousse de vanille

3 feuilles de gélatine

quelques fraises gariguettes

Mettez un petit saladier au réfrigérateur.

Dans une casserole, faites fondre le lait de coco et la gousse de vanille fendue en deux.

Faites tremper les feuilles de gélatine dans l'eau froide. Dès qu'elles ont ramolli, essorez-les avec les doigts et ajoutez-les au lait de coco. Remuez jusqu'à ce qu'elles fondent. Ôtez la gousse de vanille. Laissez refroidir.

À l'aide d'un batteur électrique, faites monter la crème fraîche liquide en chantilly dans le saladier froid. Mélangez progressivement le lait de coco à la chantilly afin d'obtenir une crème légère et savoureuse.

Lavez les fraises, coupez-les en morceaux et mélangez-les à la crème. Répartissez dans des ramequins ou des verres.

Placez au réfrigérateur pendant 3 heures.

Chantilly de framboises

Pour 4 personnes

33 cl de crème fraîche liquide

80 g de sucre glace

2 feuilles de gélatine

4 c. à s. de coulis de framboise

quelques framboises pour décorer

Mettez un petit saladier au réfrigérateur.

Faites tremper les feuilles de gélatine dans l'eau froide. Dès qu'elles ont ramolli, essorez-les avec les doigts.

Faites chauffer le coulis de framboise dans une casserole et ajoutez les feuilles de gélatine. Remuez jusqu'à ce qu'elles fondent.

À l'aide d'un batteur électrique, faites monter la crème fraîche liquide en chantilly dans le saladier froid. Lorsqu'elle a pris, ajoutez le sucre glace et mélangez au batteur.
Incorporez progressivement le coulis de framboise à la chantilly afin d'obtenir une crème légère et savoureuse.
Répartissez-la dans des ramequins ou des verres.
Décorez de quelques framboises.

Placez au réfrigérateur pendant 3 heures.

Chantilly au chocolat au lait

Pour 4 personnes

33 cl de crème fraîche
liquide

80 g de sucre glace

2 feuilles de gélatine

150 g de chocolat au lait
pour dessert

Mettez un petit saladier au réfrigérateur.

Faites tremper les feuilles de gélatine dans l'eau froide.
Dès qu'elles ont ramolli, essorez-les avec les doigts.

Faites fondre le chocolat dans une casserole et ajoutez
les feuilles de gélatine. Remuez jusqu'à ce qu'elles fondent.

À l'aide d'un batteur électrique, faites monter la crème fraîche
liquide en chantilly dans le saladier froid. Lorsqu'elle a pris,
ajoutez le sucre glace et mélangez au batteur.
À l'aide d'une spatule en bois, incorporez progressivement
le chocolat au lait à la chantilly afin d'obtenir une crème
légère et savoureuse. Répartissez-la dans des verres
ou des ramequins.

Placez au réfrigérateur pendant 3 heures.

CONSEIL | Vous pouvez ajouter des pépites de chocolat noir
et des noisettes lorsque vous faites fondre le chocolat.

Chantilly à la rose

Pour 4 personnes

33 cl de crème fraîche liquide

80 g de sucre glace

2 feuilles de gélatine

1 c. à s. de liqueur de rose

Mettez un petit saladier au réfrigérateur.

Faites tremper les feuilles de gélatine dans l'eau froide. Dès qu'elles ont ramolli, essorez-les avec les doigts.

Faites chauffer la liqueur de rose dans une casserole et ajoutez les feuilles de gélatine. Remuez jusqu'à ce qu'elles fondent.

À l'aide d'un batteur électrique, faites monter la crème fraîche liquide en chantilly dans le saladier froid. Lorsqu'elle a pris, ajoutez le sucre glace et mélangez au batteur.
À l'aide d'une spatule en bois, incorporez progressivement la liqueur de rose à la chantilly afin d'obtenir une crème légère et savoureuse.

Placez au réfrigérateur pendant 3 heures.

CONSEIL I Vous pouvez ajouter du coulis de fruits rouges, de groseille, de framboise ou de cassis à la chantilly et quelques fruits frais en décoration pour une crème haute en couleur.

Shopping

LE BON MARCHÉ
torchon, p. 19 ; bol, p. 20 ; pot, p. 25 ;
assiette, p. 29, 61, plat, p. 35, 37 ; verres, p. 59, 61.

CÔTÉ MAISON
torchon, p. 23 ; verrines, p. 63.

HABITAT
sets de table, p. 9, 11, 27, 57 ; tasses, p. 11, 33 ;
bol, p. 51 ; saladier, p. 53, 55 ; vaisselle, p. 57.

BHV
ramequins, p. 7 ; plat, p. 33.

IKEA
ramequins, p. 23 ; plat, p. 27 ;
planches, p. 31, 53, 55, 63.

THE CONRAN SHOP
cuillère, p. 53.

MONOPRIX
cuillères, p. 7, 29, 51, 61 ; pots, p. 9, 15 ;
ramequin, p. 29 ; bol, p. 53.

APILCO (au BHV)
plats, p. 47, 49.

Carnet d'adresses

LE BON MARCHÉ
24, rue de Sèvres, 75007 Paris
tél. 01 44 39 80 00
www.lebonmarche.fr

CÔTÉ MAISON
44, cour Saint-Émilion, 75012 Paris
tél. 01 43 44 12 12

HABITAT
35, avenue de Wagram, 75017 Paris
01 55 37 75 00

BHV
52-54, rue de Rivoli, 75001 Paris
tél. 01 42 74 90 00
www.bhv.fr

IKEA
tél. 01 39 10 20 20
www.ikea.fr

THE CONRAN SHOP
117, rue du Bac, 75007 Paris
tél. 01 42 84 10 01

MONOPRIX
www.monoprix.fr

APILCO
tél. 02 54 95 61 00

Un très grand merci à Claire, André, Camille, Sophie, Harold, à ma petite maman, à Claire, à Claudette,
à Zabou pour la relecture et à Sébastien pour ses remarques constructives.

ISBN : 2501-04352-9

40.93068 / 03

Dépôt légal : n° 52380 / octobre 2004

Imprimé en France par Pollina - n° L94925